To Gareth with my best wishes
Gyda'm dymuniadau gorau
Dai 1988

DYFFRYN AMAN 'SLAWER DYDD

THE AMMAN VALLEY LONG AGO

Casgliad o luniau
A collection of photographs

David A. Evans
Huw Walters

Argraffiad Cyntaf—1987
First Impression —1987

ISBN 0 86383 382 9

Argraffwyd a chyhoeddwyd gan
Wasg Gomer,
Llandysul, Dyfed.

Printed and Published by
Gomer Press
Llandysul, Dyfed
Wales

DIOLCHIADAU/ACKNOWLEDGEMENTS

Cydnabyddwn yn ddiolchgar y rhai a ganlyn am eu caredigrwydd yn caniatáu inni ddefnyddio eu lluniau.
We gratefully acknowledge the following, for their kindness in allowing us to use their photographs.

Mrs Mary Bevan, Mr Arthian Bowen, Mr & Mrs Harold Bowen, Mr L. Dando, Mr & Mrs Gomer Davies, Parchg Islwyn Davies, Mrs Lilian Davies, Mrs Marian Davies, Mrs Nans Davies, Mr Douglas Elias, Mrs Mair Evans, Mrs Pat Guy, Mrs M. Hamer, Mrs N. Hanham, Mr Gwynallt Harries, Mrs Leslie Harries, Dr G. Herbert, Mr T J Howells, Mrs Enid Humphreys, Mrs Hannah James, Mr & Mrs Harold James, Mr & Mrs Eynon Jenkins, Mrs Glenys Jones, Mr Graham Jones, Mr Gwynfor Jones, Mrs Jean Jones, Mr & Mrs T. Richard Jones, Mr Tom Jones, Mrs S. Lamb, Mr Tony Lee, Mrs M. A. Miles, Mrs Rhianydd Morgan, Mrs Mary Owen, Mrs Jennie Rees, Mrs Enid Rogers, Mrs Morfydd Smith, Mrs Annie Thomas, Mr Dewi Thomas, Mr & Mrs J. Emlyn Thomas, Mrs Lucy Thomas, Mrs Mairwen Thomas, Mrs Noela Thomas, Mrs Olive Thomas, Mrs Pegi Wheelhouse, Mr Byron Williams, Mr Garwyn Williams, Mrs Morfydd Williams, Mrs Olwen Williams, Mrs Peggy Williams.

Diolchwn hefyd i Dr David Jenkins o Amgueddfa Diwydiant a Môr Cymru am ei gymorth wrth lunio'r testun, ac i Mrs Megan Daniel a Mrs Carolyn Green am gynorthwyo gyda pharatoi'r deipysgrif. Yr ydym yn ddyledus i'r Prifathro Eric Sunderland, brodor o'r ardal, am lunio cyflwyniad i'r gwaith. Yn olaf, diolchwn i Caryl am ei chymorth, ei chefnogaeth a'i hanogaeth gyson.

We also thank Dr David Jenkins of the Welsh Industrial and Maritime Museum for his assistance in preparing the text, and Mrs Megan Daniel and Mrs Carolyn Green for their help in preparing the typescript. We are indebted to Principal Eric Sunderland, a native of the area, for his foreword to the work. Finally we thank Caryl for all the help, support and encouragement she has given us.

CYFLWYNIAD

Yn bennaf oherwydd amgylchiadau economaidd, profodd dyffryn Aman nifer o newidiadau cymdeithasol yn ystod oes rhai o'i drigolion hynaf. Dyffryn gwledig ydoedd, ei boblogaeth yn fychan a gwasgaredig tan ddegawdau ola'r bedwaredd ganrif ar bymtheg pan drawsnewidiwyd yr ardal yn sydyn gan ddatblygiadau diwydiannol mawr, a chan fewnfudo ar raddfa eang. Erbyn dechrau'r Rhyfel Byd Cyntaf yr oedd cymuned ddiwydiannol fywiog wedi datblygu ym mhentrefi'r cylch,—o Rydaman yn un pen i'r dyffryn i Frynaman yn y pen arall. Ond yn ystod y cyfnod rhwng y ddau ryfel byd ac wedyn, bu dirywiad cyson ym mywyd diwydiannol yr ardal,—diwydiant a sylfaenwyd yn bennaf ar lo ac alcan. Disodlwyd y diwydiannau hyn yn raddol, a bu newid yng nghymeriad economaidd a chymdeithasol y dyffryn unwaith yn rhagor.

Yn ei bryddest *Yr Hen Gwm*, dywed Amanwy, gŵr y mae amryw ohonom yn ei gofio'n dda:

> Taw, Aman, taw ar dy droellog daith,
> Ni ddychwel doe a'i degwch fyth yn ôl.

Mae hynny'n wir, wrth gwrs, ond eto mae'r awydd ym mhawb ohonom i ail-fyw rhai o brofiadau ddoe, a dwyn i gof rhai unigolion o'n plentyndod a'n hieuenctid. Gall atgofion fel y rhain ein hadfywio, ac maent hefyd yn fodd i gynnal a chryfhau ein syniad o 'berthyn' i gymdeithas ac ardal.

Croniclir nifer o'r cyfnewidiadau a ddigwyddodd yn nyffryn Aman er diwedd y bedwaredd ganrif ar bymtheg yn y casgliad trawiadol ac atgofus hwn o luniau, ac mae'n llwyddo i gyfleu hynny mewn dull effeithiol na allai'r gair ysgrifenedig fyth mo'i gyflawni. Mae David Evans a Huw Walters, drwy archwilio deunydd archifol, wedi rhoi inni olwg gytbwys ar y datblygiadau a'r newidiadau a fu yn yr ardal, a bydd cynnwys y gyfrol hon yn siwr o daro tant yng nghalonnau pawb a gaiff gyfle i bori ynddi. Gwnaeth hynny i mi, yn sicr, gan fod y Rhydaman a'r dyffryn Aman a adwaenwn gynt pan oeddwn yn grwtyn ac yn ŵr ifanc—eu hadeiladau, eu trigolion a'u hamryfal weithgareddau—yn dod yn fyw iawn i'm cof.

Mewn oes fel hon, oes y boblogaeth symudol, a'i hymholi cyson ynghylch hunaniaeth personol a chymdeithasol, mae'r 'angen am wreiddiau' yn ystrydeb addas, ac mae'r gyfrol hon yn fodd i borthi'r angen hwnnw. Mae'r awduron i'w llongyfarch yn galonnog am iddynt lwyddo i grynhoi ynghyd gasgliad mor nodedig o luniau,—lluniau sy'n deffro emosiwn ac yn creu chwilfrydedd ar yr un pryd.

Eric Sunderland
Bangor
Hydref, 1987

FOREWORD

Within the lifetime of some of its older inhabitants the Amman Valley has experienced a number of major social and environmental changes, largely as a result of economic circumstances. The rural valley with a small, scattered population which had existed here for many centuries until the latter decades of the nineteenth century, was suddenly transformed by major industrial developments, and by large-scale immigration, so that, by the outbreak of the First World War there was a thriving industrial community in the newly-enlarged villages and townships, from Ammanford at one end of the valley, to Brynamman at the other. In the inter-war years, and subsequently, the industrial base, founded largely on coal and tinplate, has largely been eroded, and has only partially been replaced by light industries, and thus the economic and social character of the valley has yet again been modified.

In *Yr Hen Gwm*, Amanwy, whom many of us vividly recall, wrote:

> Taw, Aman, taw ar dy droellog daith,
> Ni ddychwel doe a'i degwch fyth yn ôl.

That is, of course, a truism, and yet there exists in all of us a need to relive and to recreate in our minds some of the events and individuals known to us long ago in our infancy, childhoold and later years. We are refreshed by such memories, and our sense of 'belonging' to a community and an area is thereby sustained and fortified.

This collection of striking and evocative photographs chronicles many of the changes which have occurred in the Amman Valley since the late nineteenth century, doing so in a very effective manner, impossible to attain by the written word alone. David Evans and Huw Walters have sifted through archival material, and produced a balanced overview of developments and changes in the area, which must strike a chord in the hearts of all those who browse through the volume. It certainly did so in mine, since the Ammanford and Amman Valley which I knew as a child and young man—their buildings, people and activities—are vividly brought to mind again.

The oft-repeated phrase 'The need for roots' is singularly apposite in this age of population mobility, and the questioning of individual and social identity, and this book immediately helps to satisfy that need. The authors are warmly to be congratulated upon their success in collecting and publishing such a remarkable, emotive and thought-provoking collection of photographs.

Eric Sunderland
Bangor
October, 1987

RHAGYMADRODD

Yn ddaearyddol y mae gwely afon Aman yn rhedeg rhwng y Mynydd Du ar yr ochr ogleddol a Chefn y Gwryd sy'n cynnwys Penlle'r Fedwen a Phen Rhiw-fawr, ac y mae rhostir agored Caegurwen yn ymylu ar yr afon i fyny at Gwmllynfell. Rhed Aman drwy'r llain gwastad o dir sy'n gorwedd rhwng y Mynydd Du a Mynydd y Betws yn agos i ffin ddwyreiniol yr hen Sir Gâr cyn ymuno ag afon Llwchwr ger Pantyffynnon yn rhan isa'r dyffryn. Cynnwys yr ardal nifer o fân bentrefi fel Cwmllynfell, Brynaman, Tai'rgwaith, Gwauncaegurwen a Chwmgors, y Garnant, Glanaman, y Betws, Pantyffynnon a Thŷ-croes, a Rhydaman yn brif ganolfan masnachol iddynt.

Bu gweithio glo ar raddfa fechan yn yr ardal ers y cyfnodau cynnar. Prin fod y diwydiant yn llewyrchus fodd bynnag, a hynny'n bennaf oherwydd diffyg cyfleusterau i gludo glo o'r ardal. Arloeswyr y diwydiant yn ddiamau oedd y tad a'r mab o Fryn-brain yng Nghwmllynfell, a chan fod y ddau yn dwyn yr un enw—John Jones, tasg anodd erbyn hyn yw ceisio gwahaniaethu rhwng gweithgarwch y naill a'r llall. Ymddengys mai John Jones, y tad, a fu farw ym 1835, oedd prif arloesydd y diwydiant, a daeth glofa fechan Blaengurwen i'w feddiant ym 1802. Ehangodd ei weithgarwch yn ddiweddarach pan agorodd Lefel yr Offis a Lefel y Bresen ym Mrynaman.

Y datblygiad pwysicaf a fu'n gyfrwng i hyrwyddo diwydiant yn yr ardal oedd dyfodiad y rheilffordd, ac ym 1835 rhoddwyd yr hawl i gwmni'r *Llanelly Dock Railway* i estyn y rheilffordd o Lanelli trwy Cross Inn (Rhydaman), Cwmaman a Brynaman erbyn 1841. Yn y man gwelwyd suddo nifer o fân byllau newydd yn rhannau uchaf dyffryn Aman ac erbyn degawd ola'r ganrif yr oedd nifer dda o lowyr yng ngweithfeydd Blaengurwen, Cwm-teg a Phantycelyn, ac agorwyd Pwll y Maerdy ym 1886. Agorwyd gwaith Cwmgors yn yr un gymdogaeth ym 1887 a'r *East Pit* ym 1910.

O ganlyniad tyrrodd nifer o deuluoedd i'r fro o'r ardaloedd gwledig, a thyfodd cymunedau Cwmllynfell, Brynaman, Gwauncaegurwen a Chwmgors, ond arafach fu datblygiad diwydiannol yr ardal yng ngodre'r dyffryn—ym mhentrefi'r Betws, Pantyffynnon a Rhydaman. Prinder ffyrdd a rheilffyrdd oedd y prif reswm am gysgadrwydd diwydiannol y rhan hon o'r ardal, ond pan agorwyd llinell fechan o Dir-y-dail i Ben-y-groes ym 1850, suddwyd nifer o byllau newydd yn y Betws a Phantyffynnon. Nid y fasnach lo oedd yr unig ddiwydiant yn y cylch bellach, gan fod dyffryn Aman yn addas i gynnal y fasnach alcan gyda digonedd o ddŵr, calch a glo wrth law i'r pwrpas. O'i gymharu â'r diwydiant glo bu datblygiad y diwydiant alcan yn gyflymach o lawer, ac agorwyd melinau ym Mhantyffynnon, Tir-y-dail, Cwmaman a Brynaman rhwng 1880 a 1890.

Cododd llu o broblemau yn sgil y cynnydd diwydiannol hwn, ac nid y lleiaf ymhlith y rhain oedd yr enwau a geid ar bentrefi gwasgarog y gwahanol gymunedau a dyfodd ar lawr y dyffryn. Pan estynnwyd rheilffordd Cwmtawe i Frynaman ym 1864 gwelwyd yn dda i newid enw'r pentref ar yr un pryd. Fel y *Gwter Fawr* yr adwaenid y pentref cyn hynny, ond ar ddyfodiad y rheilffordd gosodwyd arwydd yn dwyn yr enw *Brynaman* ar yr orsaf leol. Yr un fu'r hanes ym mhentref Cross Inn ychydig yn ddiweddarach ym 1880. Gan fod cynifer o fân bentrefi yng Ngheredigion a Sir Gâr yn dwyn yr un enw, teimlodd amryw o'r trigolion fod angen enw newydd, a hynny er osgoi rhagor o gymysgu rhwng y gwahanol bentrefi. Ym mis Rhagfyr 1880 hysbyswyd y cyhoedd fod y trigolion bellach wedi cytuno ar enw newydd, sef *Ammanford*. Ni ddaeth y fersiwn Gymraeg i'w defnyddio tan ddechrau'r ganrif hon.

Rhwng 1880 a 1890 ychydig oedd rhif y mewnfudwyr i'r ardal o Loegr. Daeth y mwyafrif o'r gweithwyr i'r cylch yn y cyfnod hwn o siroedd Caerfyrddin, Penfro a Cheredigion, a daeth tair mintai o lowyr o Forgannwg i weithio i lofa'r Betws yn y nawdegau. O blith y rhain yn ddiweddarach y cododd rhai o brif arweinwyr y mudiad Llafur yn nyffryn Aman, gan ddylanwadu yn eu tro ar wŷr fel John James o Wauncaegurwen a James Griffiths o'r Betws. Yn ystod y cyfnod rhwng 1900 a 1914 y gwelwyd y llewyrch mwyaf ym maes y glo carreg, ac erbyn 1913 yr oedd 34 o byllau yn gweithio yn nyffryn Aman. Dyma'r adeg y profwyd y mewnlifiad Seisnig pan sefydlwyd y *Wigan Coal and Iron Company* gan ddiwydianwyr o Sir Gaerhirfryn. Yn sgil y datblygiad hwn daeth nifer o deuluoedd o ogledd Lloegr i'r cylch, ond yr oedd dyffryn Aman yr adeg hon yn drwyadl Gymraeg ei iaith, ac ni fu'r newydd-ddyfodiaid fawr o dro cyn troi'n Gymry.

Ysbeidiol fu llwyddiant y gweithfeydd alcan yn yr ardal, ac erbyn 1896 yr oedd dyfodol y diwydiant yn y fantol a gwelwyd cau'r mwyafrif o'r melinau yn y dyffryn. Megis y bu yng nghymoedd diwydiannol eraill de Cymru yn yr un cyfnod, profodd y diwydiant glo yn y cylch sawl argyfwng yn y dauddegau—argyfyngau a arweiniodd at weithredu diwydiannol ar ran undeb y glowyr ym 1921 a 1926. Ffurfiwyd yr *Amalgamated Anthracite Collieries Ltd* ym 1926, ond ni bu'r cwmni'n llwyddiannus. Araf fu'r diwydiant i fentro gyda thechnegau newydd, a phan ddaeth cenedlaetholi ym 1947 gwelwyd cau rhagor o lofeydd yn y cylch. Dirywio ymhellach fu hanes maes y glo carreg, ac er i'r Bwrdd Glo ddatblygu glofeydd newydd yn Abernant a'r Betws, gwelwyd gostyngiad ym mhoblogaeth yr ardal o'r tridegau ymlaen.

Glo ac alcan a roes gynhaliaeth faterol i'r cymunedau gwasgarog hyn ar lawr dyffryn Aman, eithr nid cwm a feddiannwyd yn llwyr gan weithfeydd a thai gweithwyr oedd yr ardal hon. Wedi suddo'r pyllau, codi ffwrneisi a melinau, yr oedd y tiroedd agored yn rhoi cyfle i'r boblogaeth i gyfuno ychydig o elfennau'r bywyd gwledig cyfarwydd ag amgylchiadau eu bywyd gweithfaol. Yr oedd naws wledig i'r ardal hon, a llawer o'r glowyr newydd adael y tir ac yn parhau i amaethu ar raddfa fechan.

Nid oedd y chwyldro a ddigwyddodd yn nyffryn Aman yn ystod y ganrif ddiwethaf yn gyfyngedig i'r byd diwydiannol yn unig, oblegid cafwyd nifer o gyfnewidiadau cymdeithasol yn dilyn y broses o ddiwydiannu. Cafodd ymneilltuaeth droedle gadarn yn yr ardal er yn fore, ac erbyn dechrau'r ganrif hon codwyd capeli yn perthyn i bob un o'r enwadau crefyddol ar lawr y dyffryn. Gwasanaethwyd y cynulleidfaoedd hyn gan rai o hoelion wyth yr enwadau, ac yr oedd gweithgarwch eglwysi'r fro yn anhygoel. Cynhaliai'r mwyafrif ohonynt gyfarfodydd bob nos o'r wythnos—yn gyrddau gweddi, ysgolion canu, eisteddfodau a chyngherddau. Daeth y gymanfa ganu a'r gyngerdd gysegredig yn boblogaidd ymhlith y trigolion, ffurfiwyd corau mawrion ymhob un o bentrefi'r dyffryn, a bu'r rhain yn eu tro yn gystadleuwyr peryglus ym mhrif wyliau corawl y wlad. Ffurfiwyd bandiau pres yn yr ardal hefyd ac wedi'r Rhyfel Mawr daeth y mudiad drama i'w lawn dwf, a bu cwmnïau drama llewyrchus ymhob un o gymunedau'r fro.

Fel yn y rhelyw o gymoedd diwydiannol y de rhoddwyd bri ar rygbi yn yr ardal. Sefydlwyd timau ymhob un o bentrefi'r dyffryn, a chwaraewyd y gêm rygbi gyntaf yn Rhydaman gan mlynedd yn ôl i eleni ym 1887. Yn ystod dirwasgiad y dauddegau y daeth bocsio'n boblogaidd ymhlith bechgyn ifainc y gymdogaeth, ac yn ystod yr un cyfnod y ffurfiwyd clybiau boscio yn Rhydaman a Chwmaman.

Bu newidiadau mawr yn nyffryn Aman yn ystod y blynyddoedd diwethaf. Ychydig iawn o olion diwydiant a welir yn yr ardal bellach, ac mae'n dilyn i natur y gymdeithas hithau brofi newidiadau yn ogystal. Prin fod angen cyfiawnhau cyhoeddi'r detholiad hwn o luniau a ffotograffau sy'n ceisio portreadu agweddau ar fywyd yr ardal mewn cyfnod o ryw gan mlynedd. Y mae pob un o'r lluniau hyn yn adrodd ei stori a'i chwedl ei hun, ac mae iddynt yr un pwysigrwydd i'r hanesydd a'r sylwebydd cymdeithasol â dogfennau ysgrifenedig a'r llyfr print. Fodd bynnag ni ellir wrth waith fel hwn heb gymorth, a diolchwn i bawb a'n cynorthwyodd gyda'r gwaith. Gobeithiwn inni lwyddo i gyfleu peth o naws gorffennol maes y glo carreg yn ein detholiad.

Huw Walters

INTRODUCTION

The valley of the river Amman runs between the Black Mountain to the north, and to the south, the uplands of Cefn y Gwryd, comprising Penlle'r Fedwen and Pen Rhiw-fawr. Near its source, the river is bordered by the open moorlands of Caegurwen; lower down its course, however, the Amman runs through a widening valley below Betws Mountain, near the eastern boundary of the former county of Carmarthenshire, before its confluence with the river Loughor near Pantyffynnon. The area comprises a number of communities, the largest of which, Ammanford, is the commercial centre for surrounding towns and villages such as Cwmllynfell, Brynamman, Tai'rgwaith, Gwauncaegurwen and Cwmgors, Garnant, Glanamman, Betws, Pantyffynnon and Tŷ-croes.

It would appear that outcrops of coal have been mined in the area from an early period, but the lack of adequate transport facilities hindered the large scale development of the coal reserves. However by the early nineteenth century, John Jones of Bryn-brain, Cwmllynfell was emerging as one of the area's earliest coal owners. He acquired the small colliery at Blaengurwen in 1802, and though it is difficult at times to differentiate between John Jones senior (who died in 1835) and his son who bore the same name, both father and son were probably partners in a business venture which was later responsible for the working of *Lefel yr Offis* and *Lefel y Bresen* at Brynamman.

The transport facilities in the Amman Valley underwent a vast improvement in 1835, when permission was granted to the Llanelly Dock Railway Company to extend its system through Cross Inn (Ammanford) and Cwmamman to Brynamman. The opening of the railway proved to be a major boost to the industrial development of the area, with numerous small pits being opened at the upper end of the valley. By the late nineteenth century, there were a substantial number of colliers employed at Blaengurwen, Cwm-teg and Pantycelyn, and further pits were opened at Maerdy in 1886, Cwmgors in 1887 and the East Pit in 1910.

Employment opportunities afforded by the development of the coal reserves attracted a large number of immigrants from the rural areas, and communities at the upper end of the valley such as Cwmllynfell, Brynamman, Gwauncaegurwen and Cwmgors experienced a considerable influx of population. At the lower end of the valley, villages such as Betws, Pantyffynnon and Ammanford were slower to develop, but following the opening of a branch line from Tir-y-dail to Pen-y-groes in 1850, a number of substantial pits were opened in the area, including those at Betws and Pantyffynnon. During the last quarter of the nineteenth century, the availability of plentiful resources of coal, limestone and water led to the development of the tinplate industry in the area. The industry expanded rapidly, and works were opened at a number of locations, including Pantyffynnon, Tir-y-dail, Cwmamman and Brynamman, between 1880 and 1890.

One problem that arose in the wake of this rapid industrialisation related to the nomenclature of the various communities in the valley. When the Swansea Vale Railway completed its branch line to Brynamman in 1864, the company saw fit to change the name of the village at the same time. Until then, it had always been known as *Y Gwter Fawr*, but Brynamman was the name that appeared on the platform signs of the newly-opened station. A similar problem arose some two decades later when the residents of Cross Inn felt that the name of their community should be changed to avoid confusion with numerous other hamlets that bore the same name in Carmarthenshire and Cardiganshire. Eventually in December 1880, it was announced that the residents had decided upon a new name, Ammanford, though it was not until the turn of the century that the Welsh version, *Rhydaman* was used.

Between 1880 and 1890, the number of English immigrants to the valley was insignificant and the vast majority of newcomers seeking work came from Carmarthenshire, Pembrokeshire and Cardiganshire. The area also experienced three influxes of immigrants from Glamorganshire, and it was from amongst these that some of the foremost of the Amman Valley's Labour leaders were to rise. They in turn influenced locally born socialists such as John James, Gwauncaegurwen, and James Griffiths of Betws. The years from 1900 to 1914 constituted the high water mark of the anthracite coalfield and by 1913, there were 34 pits in operation in the valley. Further migration to the area continued, and for the first time a considerable group of English immigrants from Lancashire arrived in the district, following the establishment of the Wigan Coal and Iron Company. Such was the seemingly impregnable strength of the Welsh language in the valley at that time, however, that the newcomers rapidly learned Welsh and were soon totally assimilated into the local community.

The tinplate industry did not enjoy the same success as coal mining. By 1896 the future of the industry was in the balance, and many of the mills in the area were forced to close. In common with the rest of the south Wales coalfield, the collieries of the Amman Valley faced several crises—crises that led to strikes in 1921 and 1926. An attempt on the part of the owners to streamline their operations led to the formation of the Amalgamated Anthracite Collieries Ltd in 1926, but the company was not successful. Lack of capital led in turn to conservation in working methods and a dearth of investment in new techniques. The result was that many pits were closed following the nationalisation of the coal industry in 1947, a pattern that has continued since then, despite the opening of modern pits at Betws and Abernant. Employment opportunities have drained away accordingly, and the population of the valley has been falling gradually since the 1930s.

Although it was the development of coal mines and the tinplate mills that attracted immigrants to the district, the Amman Valley was never overwhelmed by pits, mills, railway sidings and rows of houses. The slopes of the moorlands that overlooked the valley were always close at hand, giving its industries something of a rural backdrop, and as many of the area's immigrants were natives of the countryside, they maintained their strong associations with the land as smallholders and cottagers.

In the wake of the area's industrial transformation came great social changes. Religious nonconformity, well established in the area since the eighteenth century, became a preponderant social force in the nineteenth, with each denomination building chapels in the valley at that time. The chapels were also vital and lively centres for religious and cultural meetings of all kinds, and most of them held some event or other on every night of the week; prayer meetings, temperance meetings, singing practices, *eisteddfodau* and concerts, all enjoyed the enthusiastic support of the ordinary people. Congregational singing especially in the *cymanfa ganu* or at sacred concerts, became exceptionally popular, and this love of singing was expanded outside the chapel with the formation of substantial choirs in almost every community. These choirs soon became notable competitors at *eisteddfodau* and other musical festivals, as did the numerous brass bands formed in the valley. Following the First World War, drama companies were formed in the area, and each community could boast popular and successful companies during the inter-war years.

Rugby football played an important part in the popular culture of the area; teams were established in each of the valley's villages and the first rugby game was played in the Amman Valley at Ammanford a century ago in 1887. Boxing too became popular amongst young men in the area during the depressed years of the twenties and thirties and boxing clubs were set up in Ammanford and Cwmamman.

The Amman Valley has witnessed considerable changes during recent years and the economic transformation of the area within the last thirty years has also meant considerable social changes. There is, therefore, no need to justify the publication of this selection of photographs portraying various aspects of life in the area over the last century. Each of these pictures presents its own story and each is of equal significance to the historian or sociologist as a printed book or a handwritten document.

Without the ready assistance of many local people who drew the attention of the editors to material in their possession, the compilation of this volume would have been impossible. We wish to thank them for their help, in the hope that we have used their material in a way that re-creates something of the rich heritage of this unique part of the anthracite coalfield.

Huw Walters

1. Heol y Mynydd, Brynaman ar droad y ganrif.
Mountain Road, Brynamman at the turn of the century.

2. Pont y Ffarmers neu Bont Pwll y Cwar fel y gelwid hi, ar y ffin rhwng Sir Gâr a Sir Forgannwg. Yn ôl Enoch Rees, hanesydd Brynaman, codwyd y bont wreiddiol gan John Jones, Bryn-brain ym 1819.

The Farmer's Bridge or Pont Pwll y Cwar as it was known, situated on the borders of Carmarthenshire and Glamorganshire. According to Enoch Rees, Brynamman's historian, the bridge was originally built by John Jones of Bryn-brain in 1819.

3. Heol Caegurwen, Gwauncaegurwen.

4. Eglwys Crist, y Garnant, a'r ficerdy a godwyd ym 1842.
Christ Church, Garnant, and the vicarage built in 1842.

5. Sgwâr Glanaman ym 1915. Mae capeli Bryn Seion a Bethania i'w gweld yn eglur, ac mae swyddfeydd gwaith tun y Raven yng nghanol y llun.

Glanamman Square in 1915. Bryn Seion and Bethania chapels are clearly visible, and the offices of the Raven tinplate works are in the centre of the photograph.

6. Golwg arall ar Sgwâr Glanaman. Tynnwyd y llun hwn o gopa tomen lo Glofa Gelliceidrim ym 1940.

Another view of Glanamman Square. This photograph was taken from the summit of the Gelliceidrim Colliery coal tip in 1940.

7. Pentre'r Betws a thref Rhydaman ym 1907. Llun a dynnwyd o Faescwarre.
The village of Betws and the town of Ammanford in 1907. A photograph taken from Maescwarre.

8. Stryd y Coleg, Rhydaman, a dim un car modur i'w weld yn unman.
College Street, Ammanford, and not a single motor car in sight.

9. Stryd Fawr, Rhydaman yn edrych i gyfeiriad y Sgwâr ar ddechrau'r ganrif.
High Street, Ammanford looking towards the Square at the beginning of the century.

10. Sgwâr Tŷ-croes ym 1907.
Tŷ-croes Square in 1907.

11. Rhod ddŵr a gweithwyr Glofa Brynhenllys, Cwmllynfell tua 1882. Agorwyd y lofa ym 1872 a pharhaodd i weithio hyd 1955.

The water wheel and workmen at Brynhenllys Colliery, Cwmllynfell c. 1882. The colliery opened in 1872 and ceased production in 1955.

12, 13. Pwll y Maerdy a'i dipiau glo yng Nghaenewydd, Gwauncaegurwen. Y pwll hwn oedd y cyntaf yn yr ardal i dorri glo carreg drwy ddulliau peiriannol.

The Maerdy Colliery and its coal tips at Caenewydd, Gwauncaegurwen. This pit was the first in the area where anthracite coal was broken by mechanical means.

13.

14, 15. Rhod ddŵr Glofa'r Garnant, neu Bwll Perkins fel y'i gelwid. Bu damwain ddifrifol yn y lofa hon ar 16 Ionawr, 1884, pan laddwyd deg o'r glowyr. Wrth i'r pumed fintai o lowyr ddisgyn i'r pwll, dyfnder o 75 o lathenni, torrodd y rhaff a hyrddiwyd y deg i'w diwedd. Ceir eu henwau a'u hoedrannau ar wyneb-ddalen y farwnad a gyfansoddwyd i goffáu'r digwyddiad.

The water wheel of the Garnant Colliery which was also known as 'Pwll Perkins'. A serious accident occurred at the colliery on 16 January, 1884, when ten men going down to their work met with their death. When the fifth lot of men were lowered in the cage, the wire rope to which it was attached snapped, and dropped to the bottom of the shaft which was 75 yards deep. The names of the victims and their ages are recorded on the title-page of an elegy composed in their memory.

ER

Coffadwriaeth Barchus

AM

Y rhai a gyfarfyddasant a'u diwedd mewn modd hynod druenus, yn

Nglofa y Garnant, 'Pwll Perkins,'

CWMAMMAN,

DYDD MERCHER, IONAWR YR 16*eg*, 1884.

Oddeutu Pedwar o'r gloch y Boreu.

Yr oedd y Gwaith yn dechreu yn gynt nag arferol y boreu hwn, er gadael yn gynar i fyned i .hebrwng gweddillion marwol anwyl briod un o'r gweithwyr, i dy ei hir gartref. Cymerodd y ddamwain le trwy i'r gadwyn dori pan oedd y *Cage* megys yn cychwyn i lawr, a hyrddiwyd y deg i arall fyd ar amrantiad.

Eu henwau, &c., David Roberts, Brynamman, yn 37 ml. oed, priod a phump o blant. Thomas Bevan, Cwmamman, yn 33 ml. oed, priod a thri o blant. William Lake, Cross Inn, yn 30 ml. oed, priod a thri o blant. Thomas Michael, Cwmamman, yn 26 ml. oed, priod. John Evan Jones, Cwmamman, yn 31 ml. oed, sengl. John D. James, Cwmamman, yn 22 ml. oed, sengl. Evan Roberts, Brynamman, yn 16 ml. oed, Thomas Roberts, Brynamman, yn 14 ml. oed, dau frawd. Daniel Williams, Cwmamman, yn 14 ml. oed. Edward Morgan, Brynamman, yn 14 ml. oed.

Argraffwyd gan E. Rees, Ystalyfera.

15.

16. Glowyr Glofa Blaengurwen, Rhosaman.
Colliers at Blaengurwen Colliery, Rhosaman.

17. Dymchwel simne Glofa'r Raven yn y Garnant yn y pedwardegau.

Demolishing the Raven Colliery chimney stack at Garnant in the forties.

18. Yr oedd Richard Martin, cyfreithiwr a diwydiannwr o Abertawe yn un o arloeswyr y diwydiant glo yn nyffryn Aman, a thrwy ei ymdrechion ef yr agorwyd glofa Gelliceidrim yng nghanol y ganrif ddiwethaf. Cynhyrchwyd glo carreg o ansawdd uchel yn y lofa hon a gaewyd ym 1957.

Richard Martin, a solicitor and industrialist of Swansea, was one of the pioneers of the coal industry in the Amman Valley, and the Gelliceidrim colliery was opened mainly through his efforts in the middle of the last century. The colliery, which closed in 1957, produced anthracite of an exceptionally high standard.

19. Rhai o weithwyr glofa Gelliceidrim gyda'u ceffyl a'u cŵn ar droad y ganrif.

A group of Gelliceidrim colliery workers with their horse and dogs at the turn of the century.

20. Rhai o weithwyr gwaith tun y Raven, Glanaman.

A group of workers at the Raven tinplate works, Glanamman.

21. Gweithwyr Glofa Pantyffynnon ym 1904. Bu tanchwa yn y lofa ar 28 Ionawr, 1908, pan anafwyd chwech o'r glowyr. Bu farw Gwilym Griffiths o'r Betws, brawd Amanwy a James Griffiths, yn ogystal â William Roberts o Rydaman o'u clwyfau.
A group of workers at Pantyffynnon Colliery in 1904. An explosion occurred at the colliery on 28 January, 1908, when six colliers were injured. Gwilym Griffiths of Betws, the brother of Amanwy and James Griffiths, and William Roberts of Ammanford, died of their injuries.

22. Rhai o weithwyr Glofa Tir-y-dail tua 1915.

A group of workers at the Tir-y-dail Colliery, c. 1915.

23. Bu cryn weithgarwch diwydiannol yn ardal Pontaman, Rhydaman, yn ail hanner y ganrif ddiwethaf, ac yma yr agorodd Samuel Chivers waith cemegol. Daeth y busnes a adwaenid yn ddiweddarach fel Gwaith Paent Pontaman, yn eiddo i Samuel Callard ac Ivor Morris. Rhai o weithwyr y gwaith hwnnw a welir yn y llun hwn a dynnwyd ar droad y ganrif.

The Pontamman area of Ammanford witnessed considerable industrial activity during the second half of the last century, and it was here that Samuel Chivers established a chemical works. The business, later known as the Pontamman Colour Works, was owned by Samuel Callard and Ivor Morris. This group shows a number of workers at the works at the turn of the century.

24. Yr oedd timau achub yn unedau pwysig yn y glofeydd, ac offer anadlu, lampau a chaneri i brofi'r awyr yn rhannau annatod o'u cyfarpar. Llun yw hwn o dîm achub Glofa Blaengurwen ym 1913-14.

Mine rescue teams were important units in the collieries. Its members were equipped with breathing apparatus, lamps and a canary in a cage to test for gas. This is a photograph of Blaengurwen Colliery rescue team in 1913-14.

25. Swyddfa'r Post ger Nant-melyn ym Mrynaman ar ddechrau'r ganrif. Yma y sefydlwyd un o lyfrgelloedd cynta'r pentref gan Nansen Lewis, mam y cerddor D. W. Lewis, ac ar ei marwolaeth hi ym 1899 agorwyd siop lyfrau yn yr adeilad.

Brynamman Post Office at Nant-melyn at the beginning of the century. One of the village's first libraries was opened here by Nansen Lewis, the mother of D. W. Lewis, musician and composer, and on her death in 1899 a bookshop was established in the building.

26. Siop gig David Jones y bwtsiwr, Brynaman yn y dauddegau. Mae Mrs David Jones a'i merch Mrs Sinfi Williams i'w gweld yn nrws y siop, ac mae'r posteri sy'n hysbysebu ffilmiau sinema'r Alpha yn gyferbyniad diddorol â'r golwythion cig a welir ar y dde.

David Jones butcher's shop, Brynamman, in the twenties. Mrs David Jones and her daughter Mrs Sinfi Williams are seen standing in the doorway, and the posters advertising the Alpha cinema's films make an interesting contrast with the chunks of meat seen on the right.

27. Siop ddillad a hetiau Williams a Harries, yr Emporium, Garnant.
Williams and Harries, milliners and drapers, the Emporium, Garnant.

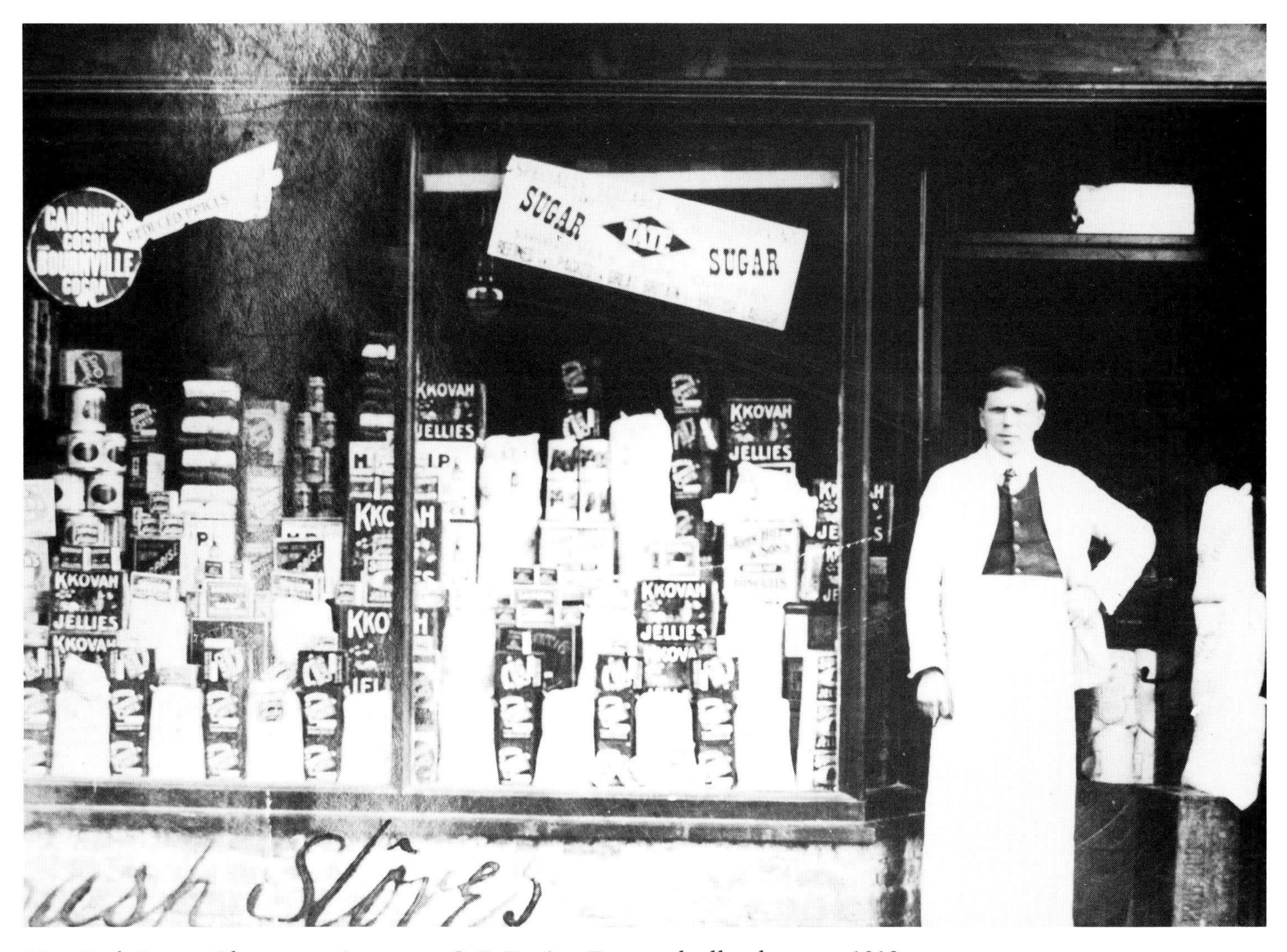

28. Cash Stores, Glanaman, siop groser G. F. Davies. Tynnwyd y llun hwn ym 1910.

Cash Stores, Glanamman, a grocery business kept by G. F. Davies. This photograph was taken in 1910.

29. Corner House, Glanaman, 1907.
Agorwyd y siop, a ddymchwelwyd ychydig flynyddoedd yn ôl, ym 1904 fel busnes cymysg—yn siop chips, siop farbwr a siop losin gan David Walters brodor o Frynaman. Sefydlodd ffatri bop a losin mintos ar yr un safle. Gwelir Wyndham a Hannah Walters, plant y perchennog yn y llun yn ogystal.

The Corner House, Glanamman, 1907.
The shop, now demolished, was opened in 1904 as a mixed business—a chip shop, a barber's shop and a sweet shop, by David Walters a native of Brynamman. He also established a small pop and mintoe sweets factory on the premises. Also pictured are Wyndham and Hannah Walters—the shopkeeper's children.

30, 31. Siop groser a phobydd, Newbridge House, y Betws ar ddechrau'r ganrif, gyda'r perchennog Thomas Jones yn ei ffedog wen. Bu cryn lewyrch ar y busnes ag agorwyd siop yn Bristol House, Rhydaman yn ddiweddarach.

Newbridge House, grocery and bakery, Betws, at the turn of the century, with Thomas Jones shopkeeper in his white apron. The business flourished and the family later opened another shop at Bristol House, Ammanford.

JNO. JONES, Wholesale & Retail Grocer & Baker, ::

Newbridge House, Bettws, ::

AND

Bristol House, Ammanford.

Newbridge Bakery which is Spacious, Commodious and Hygienic,

:: :: with Up-to-date Equipment and Expert Hands

31.

32. Tafarn Cross Keys, Glanaman, a tholl-dŷ Bryn-lloi yn negawd olaf y ganrif ddiwethaf.

Cross Keys public house Glanamman, and Bryn-lloi toll-house in the last decade of the nineteenth century.

33. Arthur Williams, Glanaman yn nrws ei siop yn y Stryd Fawr, Rhydaman. Sefydlwyd Cwmni Beiciau *Defiance* gan Arthur Williams a'i frodyr gyda ffatrioedd yng Nglanaman a Rhydaman, ac yn Abertawe a Johannesburg yn ddiweddarach.

Arthur Williams, Glanamman in the doorway of his shop in High Street, Ammanford. The Defiance Cycle Company, founded by Arthur Williams and his brothers manufactured cycles at Glanamman and Ammanford, and later at Swansea and Johannesburg.

34. Stryd y Cei, Rhydaman yn edrych i gyfeiriad y Sgwâr. Mae siop fara a groser Idris Jones ar y chwith, a siop esgidiau Oliver's ar y dde.

Quay Street, Ammanford, looking towards the Square. On the left can be seen the shop of Idris Jones, grocer and baker, and Oliver's shoe shop is on the right.

35. Tractor Cwmni Silica Brynaman ar y ffordd sy'n arwain o Frynaman dros y Mynydd Du. Gweithiai'r Cwmni y chwarel ar Benrhiw-wen gan ddefnyddio'r tractor i gludo cerrig i Frynaman. Nid yw'n syndod i'r peiriant achosi difrod i ffyrdd yr ardal.

The traction engine owned by the Brynamman Silica Company on the road leading from Brynamman across the Black Mountain. The Company worked the quarry at Penrhiw-wen and used the engine to haul stone to Brynamman. Not surprisingly the engine caused considerble damage to roads in the area.

36, 37. Dau lun gwahanol o Sgwâr Rhydaman.
Stablau'r Cross Inn, y dafarn a roes ei henw i'r pentref a welir yn y llun cyntaf. Tynnwyd yr adeiladau i lawr ym 1897-98 pan ddaeth Evan Evans, brodor o Lanybydder i Rydaman o Tunbridge Wells lle bu'n cadw siop fferyllydd. Y rhes hardd o siopau a godwyd ar yr un safle ac a agorwyd ym 1899 sydd yn yr ail lun. Evan Evans, a fu farw ym 1934, yw'r gŵr barfog a welir yn sefyll ar y dde.

Two different views of Ammanford Square.
The first photograph shows the stables of the Cross Inn, the public house which gave its name to the village. The buildings were demolished in 1897-98 when Evan Evans, a native of Llanybydder, came to Ammanford from Tunbridge Wells where he had been in business as a chemist. The second photograph shows the elegant row of shops which were built on the same site and opened in 1899. Evan Evans who died in 1934 is the bearded figure standing on the right.

DRUGGIST
CHEMIST (E. EVANS.)
DAVIES ROYAL TEA STORES
T. L. DAVIES,
AMMANFORD

37.

38. Modurdy Jack Davies (Jac y Gof), Glanaman yn y tridegau. Bu cynnydd sylweddol ym mhris petrol ers tynnu'r llun hwn.

The motor garage owned by Jack Davies (Jac y Gof), Glanamman in the thirties. The price of petrol has risen considerably since this photograph was taken.

Telephone—35 AMMANFORD. Telegrams—JAMES, AMMANFORD.

Established 1880.

JOHN JAMES & SONS,

AUTOMOBILE ENGINEERS, : :
MOTOR HAULAGE CONTRACTORS,

CENTRAL GARAGE, AMMANFORD.

Our Buses meet all Trains, and ply between Ammanford and surrounding districts.

Wedding Motor Landaulettes De Luxe.

Charabanc Parties specially catered for Tours undertaken

. UP-TO-DATE FUNERAL ARRANGEMENTS.

39. Sefydlwyd busnes hurio cerbydau i gario teithwyr a nwyddau gan John James, Rhydaman ym 1880. Yn ddiweddarach ym 1912 ffurfiodd bartneriaeth gyda'i dri mab i ddatblygu busnes siarabang yn yr ardal. Rhedai bysiau'r cwmni o Rydaman i Frynaman yn wreiddiol, ond estynnwyd y gwasanaeth i Ystalyfera ac Abertawe yn ddiweddarach.

John James of Ammanford established a business in 1880 hiring out traps and brakes for the carriage of passengers and goods. Later in 1912 he formed a partnership with his three sons to develop the charabanc business. Initially operating between Ammanford and Brynamman, the services soon extended to Ystalyfera and Swansea.

40. Sgyrsion siarabang o Frynaman—i draethau Abertawe efallai ym 1922.
A charabanc tour from Brynamman—perhaps to Swansea Bay in 1922.

41. Isaac John Thomas, Banwen, Brynaman (gyrrwr), a Luther Davies o'r Garnant yn eu beic modur yn y dauddegau cynnar.

Isaac John Thomas, Banwen, Brynamman (driver), and Luther Davies of Garnant in their motor cycle and side-car in the early twenties.

42. Rhai o fechgyn ifainc y Betws a Rhydaman ar fin gadael am wibdaith yng ngherbyd Gwesty'r Cross Inn.

Some of the young men of Betws and Ammanford about to depart on an excursion in the brake owned by the proprietors of the Cross Inn Hotel.

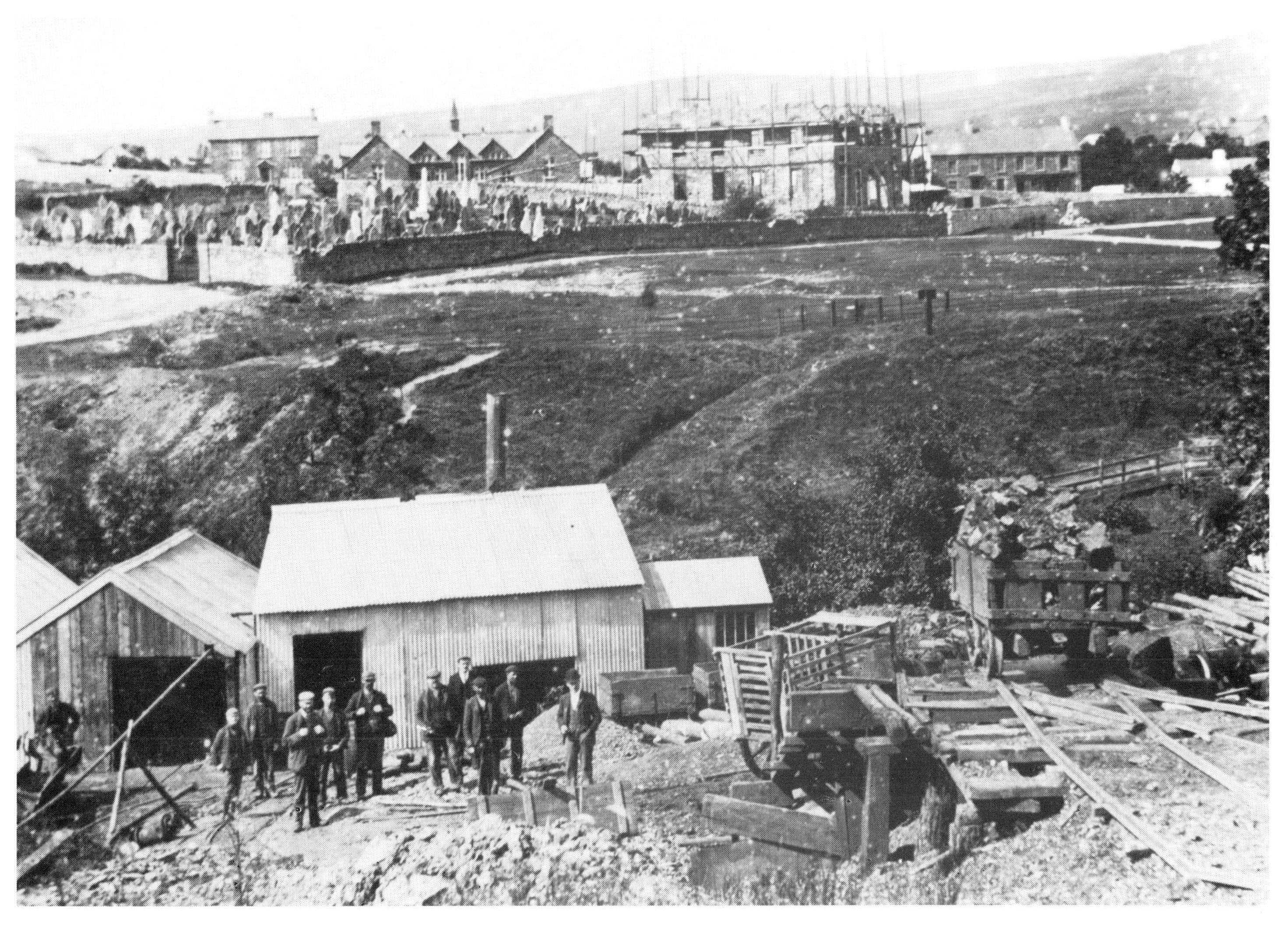

43. Adeiladu eglwys Annibynnol newydd Cwmllynfell ym 1903. Costiodd y gwaith gyfanswm o £3,800, a chynhaliwyd y gwasanaeth crefyddol cyntaf yn yr adeilad newydd ym Mawrth 1905.

Building the new Congregational chapel at Cwmllynfell in 1903. The total cost of the new chapel amounted to £3,800, and the first religious service was held in the building in March 1905.

44 Y Parchg W. D. Thomas ym mhulpud eglwys yr Annibynwyr, Gibea, Brynaman. Tynnwyd y llun hwn o du mewn Gibea cyn gosod yr organ yn yr adeilad ym Mai 1899.

The Revd W. D. Thomas in the pulpit of Gibea Congregational chapel, Brynamman. This photograph shows the interior of Gibea before the organ was installed in May 1899.

45. Eglwys y Santes Catherine, Brynaman, yn dangos y difrod a wnaed i'r adeilad gan fom ym 1940.
Saint Catherine's church, Brynamman, showing the damage to the building when it was bombed in 1940.

46. Hen Garmel, Gwauncaegurwen.
Codwyd yr adeilad a welir yn y llun hwn ym 1829, a chynhaliwyd gwasanaethau crefyddol ynddo hyd 1877 pan agorwyd yr eglwys newydd mewn man mwy cyfleus ar Wauncaegurwen. Adnewyddwyd yr hen gapel eto ym 1927 ond fe'i difrodwyd gan dân rai blynyddoedd yn ôl.

Old Carmel, Gwauncaegurwen.
The building photographed here was erected in 1829, and religious services were held in the chapel until 1877 when a new church was opened on a more convenient site at Gwauncaegurwen. The old chapel was renovated again in 1927 but was destroyed by fire some years ago.

47. Tu mewn capel Bryn Seion, Glanaman yn fuan wedi codi'r adeilad ym 1912.
The interior of Bryn Seion chapel, Glanamman, soon after its completion in 1912.

48. Capel Seion, eglwys y Methodistiaid, y Betws.
Adeiladwyd y capel cyntaf ym 1795, ac fe'i hail-godwyd ym 1829. Bu'r Methodistiaid yn addoli yma hyd 1899 pan agorwyd y Capel Newydd. Dymchwelwyd yr hen gapel ychydig flynyddoedd yn ôl.

Capel Seion, Methodist chapel, Betws.
The chapel was originally built in 1795 and re-erected in 1829. The Methodists continued to worship here until 1899 when Capel Newydd was opened. The old chapel was demolished some years ago.

49. Gellimanwydd, eglwys yr Annibynwyr, Rhydaman, cyn ei adnewyddu ym 1910. Codwyd yr adeilad cyntaf ym 1782 ac fe'i hail-adeiladwyd ym 1836 a 1865. Dyma pryd y newidiwyd ei enw i *Christian Temple*, am y credai'r Parchg John Davies nad oedd ddyfodol i'r Gymraeg yn yr ardal.

Gellimanwydd Congregational chapel, Ammanford, before its renovation in 1910. The first chapel was built in 1782 and re-erected in 1836 and 1865, when its name was changed to 'Christian Temple' by the Revd John Davies. He was of the opinion that Welsh had no future as a spoken language in the area.

50. Eglwys Sant Mihangel a'r Holl Angylion, Rhydaman. Gosodwyd carreg sylfaen yr eglwys gan Arglwyddes Dinefwr 29 Medi, 1884, a chynhaliwyd y gwasanaeth cysegru gan Esgob Tyddewi 2 Hydref, 1885.

Saint Michael's and All Angels Church, Ammanford. The foundation stone was laid by Lady Dynevor on 29 September, 1884, and the church was consecrated by the Bishop of Saint David's on 2 October, 1885.

51. Parti canu glowyr Cwmllynfell yn eu dillad gwaith, 1923.

Cwmllynfell miners' glee party in their working clothes, 1923.

Rhes gefn/Back row: D. O. Jones; D. W. Morgan; William Kendrick; Emlyn Jones; David Jones; D. L. Edwards.
Rhes ganol/Middle row: David Rowlands; G. Gardner; David Williams; J. P. Davies; J. W. Williams; W. Gwilym (ysgolfeistr/schoolmaster).
Rhes flaen/Front row: Jim Davies; G. W. George; Arthur Thomas; William Thomas.

52. Pedwarawd trombôn Gwauncaegurwen.

Gwauncaegurwen trombone quartet.

O'r chwith i'r dde/Left to right: G. Evans (ysgrifennydd/secretary); J. Jenkins; D. Morris; J. Griffiths; W. Edwards; T. J. Rees (arweinydd/conductor).

53. Ym 1895 penodwyd Edward Evans (Alawydd Aman) yn arweinydd Cymdeithas Gorawl Brynaman. Bu'r côr yn cystadlu'n gyson yn y prif eisteddfodau a'r gwyliau corawl, gan ennill cyfanswm o £1,500 rhwng 1896 a 1910. Tynnwyd y llun hwn yn fuan wedi buddugoliaeth y côr yn Eisteddfod Genedlaethol 1905, yn Aberpennar.

In 1895 Edward Evans (Alawydd Aman) was appointed conductor of the Brynamman Choral Society. The choir frequently competed in eisteddfodau and choral festivals and its winnings totalled £1,500 between 1896 and 1910. This photograph was taken following the choir's victory at the National Eisteddfod of 1905 held at Mountain Ash.

54. Aelodau o Gôr Cymysg y Garnant gyda'u harweinydd Tom Rees yn y tridegau.
Members of the Garnant Mixed Choir with their conductor Tom Rees in the thirties.

55. Aelodau o Gymdeithas Gorawl Rhydaman a'r Cylch gyda'u harweinydd Gwilym R. Jones a'u cyfeilydd George Thomas. Enillodd y côr y brif gystadleuaeth gorawl yn Eisteddfod Genedlaethol Cymru yng Nghorwen ym 1919 a'r Barri ym 1920.

Members of the Ammanford and District Choral Society with their conductor Gwilym R. Jones and their accompanist George Thomas. The choir won the chief choral competition at the National Eisteddfod of Wales at Corwen in 1919 and Barry in 1920.

56. Plant a phobl ifainc eglwys Moriah, Brynaman yn perfformio'r gantawd *Agatha* ym 1925. Cynhyrchwyd y perfformiad gan Jack Jones un o athrawon y pentref, dan arweiniad Mrs. Esther Nedhal.

The cast of *Agatha*, a cantata performed by the children of Moriah chapel, Brynamman in 1925. The performance was produced by Jack Jones, a local teacher, under the direction of Mrs. Esther Nedhal.

57. Aelodau o Gwmni Drama Gwauncaegurwen ar ôl perfformio *Aeres Maesyfelin* dros wyliau'r Nadolig ym 1917. Ysgrifennwyd y ddrama gan Rhys Evans, ysgolfeistr Cwmgors, a gwobrwywyd hi yn Eisteddfod Bryn Seion, Glanaman ym Medi'r un flwyddyn.

The cast of *Aeres Maesyfelin*, performed by the Gwauncaegurwen Dramatic Society over the Christmas holiday in 1917. The play by Rhys Evans, schoolmaster at Cwmgors, won first prize at an Eisteddfod held in Bryn Seion, Glanamman in September of the same year.

58. Pobl ifainc Glanaman yn perfformio *Red Riding Hood* tua diwedd y ganrif ddiwethaf.

The cast of *Red Riding Hood* performed by the youngsters of Glanamman towards the end of the last century.

59. Aelodau o gapel Gellimanwydd, Rhydaman yn dilyn perfformiad cantawd a gynhyrchwyd gan Edward Evans a William Davies. Mae'r Parchg D. Tegfan Davies yn eistedd yn y canol.

Members of Christian Temple chapel, Ammanford following a performance of a cantata produced by Edward Evans and William Davies. The Revd D. Tegfan Davies is seated in the middle.

60. Plant ac ieuenctid y Tabernacl, Cwmgors dan arweiniad William J. Jones yn perfformio'r gantawd *Giant's Castle* yn Chwefror 1913. Cynorthwywyd y côr gan gerddorfa offerynnol a arweiniwyd gan D. J. Evans.

The cast of the cantata *Giant's Castle* performed under the direction of William J. Jones by the children and young people of Tabernacl, Cwmgors in February 1913. The choir was assisted by an orchestra conducted by D. J. Evans.

61. Aelodau o seindorf Brynaman yn dilyn eu buddugoliaeth yn yr Eisteddfod Genedlaethol yn Abertawe ym 1907.
Members of Brynamman silver band following their victory at the Swansea National Eisteddfod of 1907.

62. Cymdeithas Ganu Dyffryn Aman (Gwauncaegurwen), 1910.

Amman Valley Glee Society (Gwauncaegurwen), 1910.

Yn sefyll/Standing: D. M. Thomas; W. Jenkins; J. James; J. Jones; Timmy Jones; W. Leonard; W. Davies; J. Thomas; E. Howells; G. Davies.

Yn eistedd/Sitting: W. J. Thomas; D. James; T. Williams; R. D. Morgan; J. Martyn Thomas; J. Morgan; D. J. Evans; T. Harry; T. Davies; B. T. Jones; J. T. Jones.

63. Gorymdaith Gorsedd y Beirdd yn Rhydaman adeg cynnal yr Eisteddfod Genedlaethol yn y dref ym 1922.
Procession of the Gorsedd of Bards through Ammanford when the National Eisteddfod was held in the town in 1922.

64. Teulu Bevan, Glanaman. O'r chwith i'r dde—Dai (Berach Bach), Tom (Telynor Berach), a Jim gyda'u tad John Bevan. Daeth Dai Bevan yn ddatgeinydd penillion o fri i gyfeiliant telyn ei frawd hynaf Tom. Enillodd y ddau yn Eisteddfod Genedlaethol Cymru yn Aberystwyth 1916, Castell-nedd 1918, a Chorwen 1919.

The Bevan family of Glanamman. Pictured from left to right are Dai (Berach Bach), Tom (Telynor Berach), and Jim with their father John Bevan. Dai Bevan became an accomplished penillion singer to the accompaniment of his brother's harp. Both won prizes at the National Eisteddfod held at Aberystwyth 1916, Neath 1918, and Corwen 1919.

65. Llun o Margaret Jones, y Farmer's Arms, Brynaman, un o'r genethod afieithus a fu'n gweini ar George Borrow ar y noson lawog a diflas honno yn Nhachwedd 1854 pan arhosodd ym Mrynaman. Daeth Margaret Jones (Margaret Rees yn ddiweddarach) yn dafarnwraig y Raven yn y Garnant.

A photograph of Margaret Jones, one of the 'buxom wenches' who waited upon George Borrow at the Farmer's Arms, Brynamman on a wet and miserable night in November 1854. Margaret Jones (later Margaret Rees) became the licensee of the Raven Inn, Garnant.

66. Teulu Rogers—saith o chwiorydd ac un brawd a fu'n cadw busnesau yn yr ardal.
Yn sefyll: Mrs. Sarah Roberts o dafarn y Bridgend, Brynaman; Josiah Rogers a gadwai siop esgidiau ym Mrynaman; Mrs Ann Caruthers a fu'n gwerthu esgidiau yn Rhydaman; Miss Mary Rogers a fu'n gwerthu te yn y Garnant.
Yn eistedd: Mrs Catherine Lewis a fu'n cadw siop ddillad yn Llanelli; Mrs Margaret Williams, siop Dan-y-bryn, y Garnant; Mrs Lucy Jones o dafarn y Bridgend, Rhydaman; Mrs Elizabeth Evans o'r Brynaman Hotel. Tynnwyd y llun hwn ym 1890.

The Rogers family—seven sisters and one brother who were in business in the area.
Standing: Mrs Sarah Roberts of the Bridgend Inn, Brynamman; Josiah Rogers who kept a shoe shop at Brynamman; Mrs Ann Caruthers who had a footwear business at Ammanford; Miss Mary Rogers of Garnant where she sold tea.
Sitting: Mrs Catherine Lewis who kept a drapery business at Llanelli; Mrs Margaret Williams of Dan-y-bryn shop, Garnant; Mrs. Lucy Jones of the Bridgend Inn, Ammanford; Mrs. Elizabeth Evans of the Brynamman Hotel. This photograph was taken in 1890.

67. Dosbarth coginio Brynaman, 1900.
Cyfarfyddai'r gwragedd ifanc hyn yn gyson yn festri Gibea.

Brynamman cookery class, 1900.
These young housewives met regularly in the vestry of Gibea chapel.

68. Sylfaenwyr Darllenfa'r Garnant.
Agorwyd y ddarllenfa yn Neuadd Stepney, y Garnant ym Mawrth 1890. Ymhlith y swyddogion cyntaf yr oedd J. Towyn Jones (canol) a John Morgan Jones, y llanc ifanc a welir yn eistedd yn y rhes flaen. Daeth ef yn ddiweddarach yn Brifathro Coleg Bala-Bangor.

The founders of the Garnant Reading Room.
The reading room was opened at Stepney Hall, Garnant in March 1890. J. Towyn Jones (centre) and John Morgan Jones, the young boy seated in the front row, were among its first officials. J. Morgan Jones later became Principal of Bala-Bangor Theological College.

69. Y Parchg John Davies (1807-86) 'Utgorn arian Cwmaman'.
Daeth i Gwmaman yn weinidog i'r Hen Fethel ym 1835, a chymerodd ofal Gellimanwydd, Rhydaman ym 1859. Yr oedd yn ffigur blaenllaw ym mywyd crefyddol yr ardal hyd ei farw yn Hydref 1886.

The Revd John Davies (1807-86) 'The silver trumpet of Cwmamman'.
He came to Cwmamman as minister of Old Bethel in 1835, and he took charge of the cause at Christian Temple, Ammanford in 1859. He was a prominent figure in the religious life of the area until his death in October 1886.

70. Ffurfiwyd undeb o gymdeithasau dirwestol Cwmaman, Brynaman a Gwauncaegurwen yn Nhachwedd 1859. Plant eglwys Gibea, Brynaman, ac aelodau o Obeithlu'r capel a welir yn y llun hwn sy'n perthyn i nawdegau'r ganrif ddiwethaf.

An association of the temperance societies of Cwmamman, Brynamman and Gwauncaegurwen was formed in November 1859. The children of Gibea chapel, Brynamman, and members of the church's Band of Hope are seen in this photograph which dates from the 1890s.

71. David Arthur (1847-1917), Heol Las.

Bu'n löwr am flynyddoedd lawer cyn ei benodi'n gyhoeddwr y dre yn Rhydaman ym 1902, swydd a ddaliodd hyd ei farwolaeth.

A collier for many years he was appointed town crier of Ammanford in 1902, a position he held until his death.

72. Arwyr Glofa Gelliceidrim.
Achubwyd bywydau tua 250 o lowyr y lofa ar fore Sadwrn, 23 Tachwedd, 1929, gan saith o'u cyd-weithwyr pan foddwyd y pwll. Anrhegwyd y saith ag oriaduron aur gan Syr Alfred Cope y mis Chwefror dilynol.

Gelliceidrim Colliery heroes.
The lives of nearly 250 miners at the colliery were saved by seven of their fellow workers on Saturday morning, 23 November, 1929, when the pit was flooded. The seven were presented with gold watches by Sir Alfred Cope the following February.
Yn sefyll/Standing: Seph Jones; David Bevan; David Williams; William Lloyd.
Yn eistedd/Sitting: Gwyn Morgan; S. S. Cowley (goruchwyliwr/manager); David Llewelyn; Vincent Thomas.

73. Rhai o lowyr Cwmaman yn gwersylla ar y Graig Ddu, Cwm Garenig yn ystod Streic Gyffredinol 1926.

Some Cwmamman miners camping at Graig Ddu, Cwm Garenig during the General Strike of 1926.

Yn sefyll/Standing: Tom Thomas; Dai Pugh.
Yn eistedd/Sitting: Evan Henry Lloyd; Henry Thomas; Isaac Jones; Tommy Morgan; David John Thomas; Arthur Lewis.

74. Y Parchg J. Towyn Jones (canol) gyda Tom Jones, y Foel, Garnant (chwith), a'r Parchg Morgan Llewelyn. Daeth Towyn Jones yn weinidog i Gwmaman ym 1885, ac ym 1912 etholwyd ef yn Aelod Seneddol Rhyddfrydol dros etholaeth Dwyrain Sir Gaerfyrddin. Daeth yn Chwip Cymreig ac yn un o Arglwyddi'r Trysorlys ym 1917. Ymddiswyddodd ym 1922 a bu farw yn ei gartref yn Rhydaman dair blynedd yn ddiweddarach.

The Revd J. Towyn Jones (centre) with Tom Jones of Foel, Garnant (left), and the Revd Morgan Llewelyn. Towyn Jones came as a minister to Cwmamman in 1885, and in 1912 he was elected Liberal Member of Parliament for the constituency of East Carmarthenshire. He became Welsh Whip and Junior Lord of the Treasury in 1917. He resigned in 1922 and died at his home in Ammanford three years later.

75. Henry Folland (1879-1926).
Daeth Henry Folland i Gwmaman fel clerc i waith tun y Raven. Daeth yn oruchwyliwr y gwaith yn ddiweddarach, ac yn y man yn gyfarwyddwr y cwmni a reolai'r diwydiant tun yn yr ardal. Bu farw tra ar wyliau yn yr Aifft ym Mawrth 1926.

Henry Folland came to Cwmamman as a clerk to the Raven tinplate works. He was later appointed manager of the works and soon became a director of the company which controlled most of the tinplate industry in the valley. He died while on holiday in Egypt in March 1926.

76. Mrs Henry Folland, Abertawe, yn cyflwyno'i chartref, Bron-deg i drigolion dyffryn Aman ar brynhawn Mercher 3 Mehefin, 1936. Agorwyd Ysbyty Dyffryn Aman yn swyddogol gan Syr William Firth yr un diwrnod.

Mrs Henry Folland, Swansea, presenting her home Bron-deg, to the residents of the Amman Valley on Wednesday afternoon 3 June, 1936. The Amman Valley Cottage Hospital was officially opened by Sir William Firth on the same day.

77. Sosialwyr y Tŷ Gwyn, Rhydaman.
Yn ficerdy yn wreiddiol, prynwyd y Tŷ Gwyn, Rhydaman gan George Davison ym 1913, a chyflwynodd ef yr adeilad i nifer o ddynion ieuainc fel man cyfarfod i drafod materion gwleidyddol a chymdeithasol. Glowyr oedd y mwyafrif o'r aelodau ac amryw ohonynt yn aelodau blaenllaw o'r Blaid Lafur Annibynnol.

The White House Socialists, Ammanford.
Originally a vicarage, the White House at Ammanford was bought by George Davison in 1913, and he presented the building to a group of young men for use as a centre for free discussion. Most of the members were miners and active members of the Independent Labour Party.

78. Dau o gymeriadau adnabyddus tref Rhydaman ar ddechrau'r ganrif hon—Mari Maescwarre a John Felin Ban. Bu'r ddau farw yn nhloty Ffair-fach.

Two well known Ammanford characters at the turn of the century—Mari Maescwarre and John Felin Ban. Both died at the Ffair-fach workhouse.

79. Aelodau o Glwb Ffotograffi Rhydaman allan am ddiwrnod yn y dauddegau cynnar.
Members of the Ammanford Photography Club on a day's outing in the early twenties.

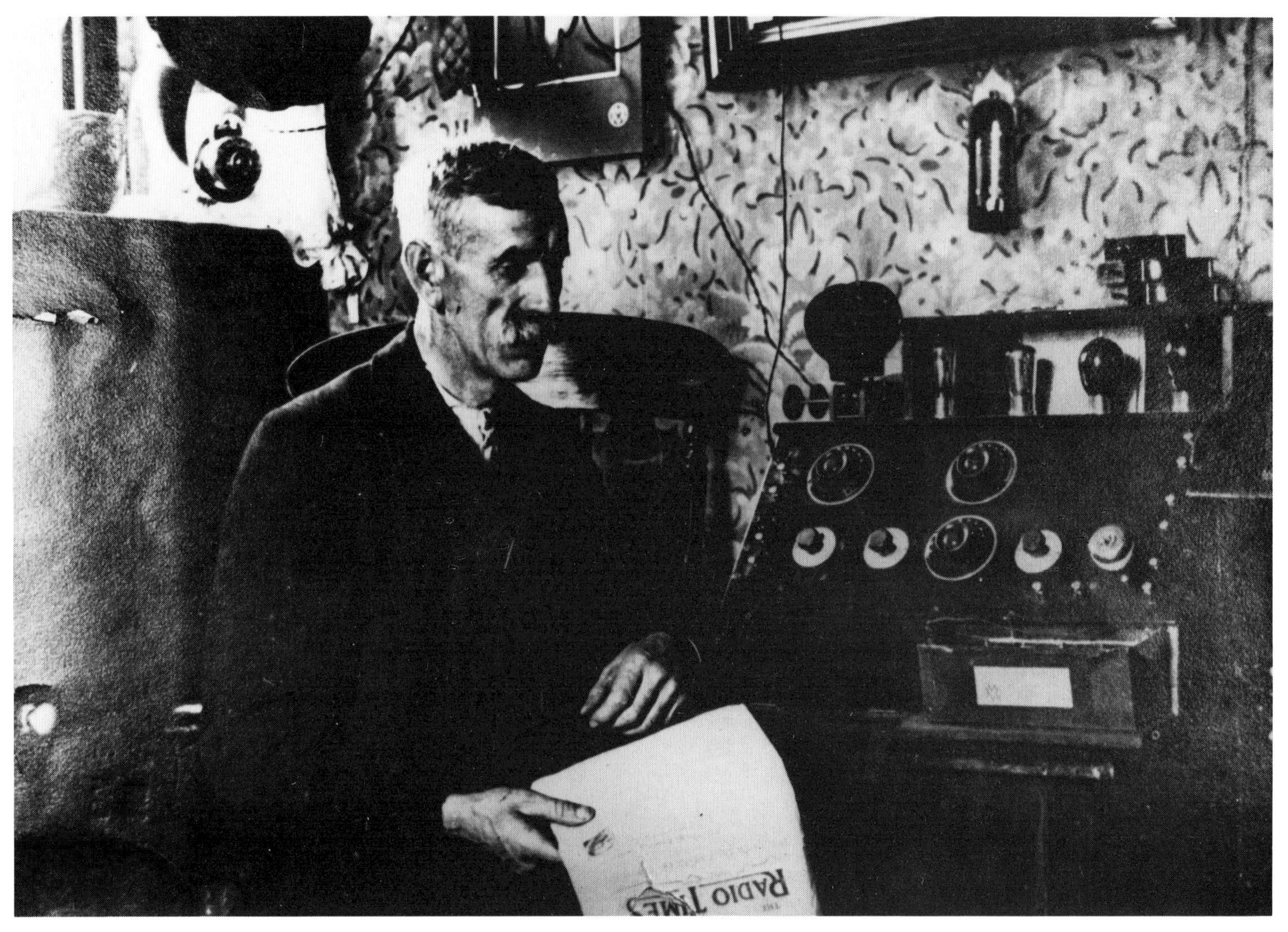

80. Dyddiau cyffrous darlledu. Llun o David Thomas, y Glwyd, Brynaman, gyda'i set radio gynnar, un o'r cyntaf yn yr ardal.

The exciting days of wireless broadcasting are recaptured in this photograph of David Thomas, y Glwyd, Brynamman, who owned one of the first wireless sets in the district.

81. W. A. Hay gyda'r Parchg W. A. Jones yn torri'r dywarchen gyntaf ar gyfer codi eglwys y Santes Margaret yng Nglanaman ym 1932.

W. A. Hay with the Revd W. A. Jones cutting the first sod for the erection of Saint Margaret's church, Glanamman in 1932.

82. Dau o arweinwyr y mudiad Llafur gyda'u gwragedd.
Ar y chwith Robert Smillie, llywydd Undeb Glowyr yr Alban, gyda'i wraig Anne. Ar y dde John James a'i wraig Theodosia. Yn frodor o Wauncaegurwen yr oedd ymhlith sylfaenwyr y Blaid Lafur Annibynnol yn ne Cymru ac yn gyfaill personol i Keir Hardie. Tynnwyd y llun hwn adeg ymweliad Robert Smillie ag Eisteddfod Genedlaethol 1922 yn Rhydaman.

Two prominent leaders of the Labour movement with their wives.
On the left Robert Smillie, president of the Scottish Miners' Federation with his wife Anne. On the right John James with Theodosia his wife. A native of Gwauncaegurwen he was one of the founder members of the Independent Labour Party in south Wales and a personal friend of Keir Hardie. This photograph was taken during Robert Smillie's visit to the National Eisteddfod held at Ammanford in 1922.

83. Teulu'r Herbert, arloeswyr tref Rhydaman.
Ganwyd pedwar o blant i John Herbert, Cathilas—Annie, Henry, Herbert a William. Fe'u gwelir yma gyda'u teuluoedd mewn llun a dynnwyd yn Llwyn-onn, Rhydaman. Daeth Annie yn wraig i Evan Evans, fferyllydd, a bu ei brawd Herbert yn feddyg yn Llundain. Ymfudodd William i Seland Newydd lle bu'n gweithio fel torrwr coed. Dychwelodd i Rydaman ym 1888 gan ddechrau busnes fel masnachwr coed yn y *Baltic Sawmills*. Ef oedd y cyntaf i ddod â thrydan i'r dref. Daeth ei ddwy ferch Gladys ac Irene yn feddygon. Peiriannydd oedd Henry Herbert, Brynmarlais, ac un o arloeswyr y diwydiant glo yn yr ardal.

The Herbert family, early pioneers of Ammanford.
John Herbert of Cathilas had four children—Annie, Henry, Herbert and William. They are seen here with their families in a photograph taken at Llwyn-onn, Ammanford. Annie married Evan Evans, chemist, and her brother Herbert became a doctor in London. William emigrated to New Zealand and as a youth was engaged in lumbering. He returned to Ammanford in 1888 where he set up in business as a timber merchant at the Baltic Sawmills. His two daughters Gladys and Irene became medical practitioners. Henry Herbert of Brynmarlais was a surveyor and engineer in the locality and a pioneer of the coal industry in the valley.

84. Aelodau o Heddlu Morgannwg a letyai mewn darllawdy ar Wauncaegurwen adeg helyntion maes y glo carreg yn Awst 1925.

Members of the Glamorgan Constabulary who were billeted at a Gwauncaegurwen brewery during the anthracite disturbances of August 1925.

85. Llun o ysgol Brynaman a losgwyd i'r llawr ym 1940.
A photograph of Brynamman school which was destroyed by fire in 1940.

86. Disgyblion safon 3, ysgol y Banwen, Brynaman ym 1925 gyda'u hathrawes Miss Blodwen Thomas a'u prifathro Griff Morgan.

Standard 3 pupils at Banwen school, Brynamman in 1925 pictured with their teacher Miss Blodwen Thomas and their headmaster Griff Morgan.

87. Disgyblion Ysgol Genedlaethol y Garnant. Noddwyd yr ysgol gan yr eglwys sefydledig a chaewyd hi yn y pedwardegau.

Pupils of the Garnant National School which was patronized by the established church. It was closed in the 1940s.

88. Disgyblion safon 5, ysgol y Betws, 1931.

Standard 5 pupils at Betws school, 1931.

89. Disgyblion yr ysgol ddyddiol a gynhelid am gyfnod yn Nebo, Heol-ddu, Rhydaman yn ystod degawd cyntaf y ganrif hon.

Pupils of the day school which was held for a period at Nebo, Heol-ddu, Ammanford during the first decade of this century.

90. Myfyrwyr Ysgol y Gwynfryn, Rhydaman gyda'u prifathro John Jenkins (*Gwili*) tua 1910. Agorwyd yr ysgol gan Watcyn Wyn ym 1880 a bu'n fagwrfa i bregethwyr hyd ei chau ym 1914.

Students of Gwynfryn School, Ammanford with their headmaster John Jenkins (*Gwili*) c. 1910. The school was opened by Watcyn Wyn in 1880 and it became well known as a seminary for preachers until its closure in 1914.

91. Ysgol elfennol Rhydaman a'i disgyblion ar ddechrau'r ganrif hon. Dymchwelwyd yr ysgol a safai yn Stryd y Coleg ychydig flynyddoedd yn ôl.

Ammanford elementary school and its pupils at the beginning of the century. The school in College Street was demolished some years ago.

92. Bechgyn ysgol Parcyrhun, gan gynnwys nifer o ifaciwis, gyda'r sgrap a gasglwyd ganddynt ar gyfer yr ymgyrch ryfel ym 1940. Mae J. Harries-Thomas y prifathro, ac Idris Davies un o'r athrawon yn y llun hefyd.

Parcyrhun schoolboys, including a number of evacuees, with the scrap they collected for the war effort in 1940. Also pictured are John Harries-Thomas, headmaster, and Idris Davies, teacher.

93. Rhai o chwaraewyr snwcer Brynaman y tu allan i siop Tom John.
Brynamman snooker players pictured outside the shop kept by Tom John.

94. Clwb rygbi Glofa Gelliceidrim, 1924-25.

Gelliceidrim Colliery rugby football club, 1924-25.

95. Rhai o helwyr Cwmaman gyda'u cŵn yn negawd olaf y ganrif ddiwethaf.

A group of Cwmamman hunters with their dogs in the last decade of the nineteenth century.

96. Tîm rygbi yr Aman—pencampwyr gorllewin Cymru, 1935-36.
Amman United rugby team—west Wales league championship, 1935-36.

97. Clwb coetio Pen-y-banc—pencampwyr gorllewin Cymru, 1923.
Pen-y-banc quoit club—west Wales champions, 1923.

98. Tîm criced Rhydaman, 1937-38.

Ammanford cricket team, 1937-38.

Yn sefyll/Standing: W. Colley; S. Hughson; Gwyn Thomas; I. Edwards; Ray Davies; Ron Davies; D. Bradbrook; W. Mustow; Ken Rees.
Yn eistedd/Sitting: Eirian Thomas; Douglas Elias; Luther Thomas; J. Owen Parry (llywydd/president); David Jones; Edgar Vaughan; Wynne Parry.

99. Tîm rygbi Pantyffynnon—pencampwyr y gynghrair, 1920-21.
Pantyffynnon rugby team—league championship, 1920-21.

100. Aelodau o Glwb Bocsio Dyffryn Aman gyda'u hyfforddwr Dic Evans, ym 1925. Ymhlith yr aelodau mae Tom Evans sy'n eistedd yn y canol, Archie Rule a Merfyn Williams sy'n eistedd yn y blaen.

Members of the Amman Valley Boxing Club with Dic Evans, their trainer, in 1925. The photograph includes Tom Evans seated centre, Archie Rule and Merfyn Williams, seated in the front.